Deinosoriaid

www.peniarth.cymru

Testun: Bethan Clement, 2018
© Delweddau: Canolfan Peniarth, Prifysgol Cymru Y Drindod Dewi Sant, 2018

Golygyddion: Lowri Lloyd ac Eleri Jenkins

Dyluniwyd gan Rhiannon Sparks

© Lluniau: Shutterstock.com. t.6-7 Universal Images Group North America LLC / DeAgostini / Alamy Stock Photo

Cyhoeddwyd yn 2018 gan Ganolfan Peniarth

Cynnwys

Pantydraco

Byw: Cymru

Hyd:

Bwyd: planhigion

Cerdded: ar ddwy droed

Saltopus

5 bys ar y traed blaen

Byw: Yr Alban

Hyd:

Bwyd: cig

Cerdded: ar ddwy droed

Camptosaurus

Byw: Lloegr

Hyd:

Bwyd: planhigion

Cerdded: ar ddwy neu bedair troed

Euoplocephalus

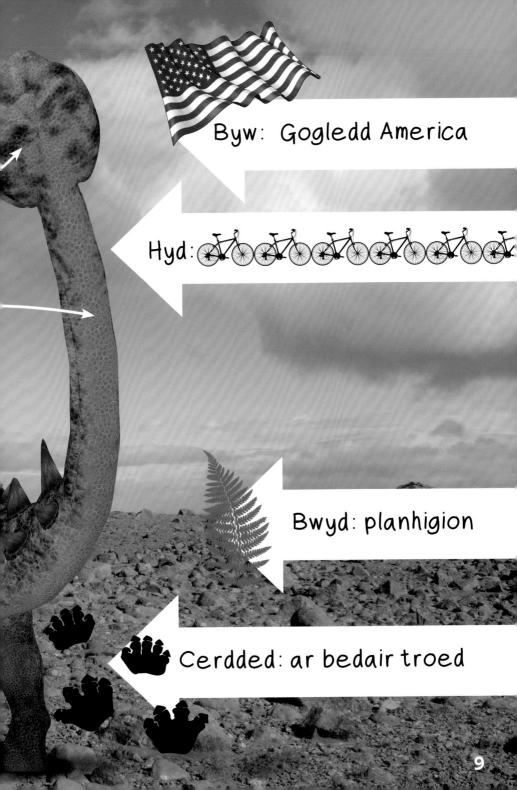

Byw: Gogledd America

Hyd:

Bwyd: planhigion

Cerdded: ar bedair troed

Triceratops

cyrn

pig

Byw: Gogledd America

Hyd:

Bwyd: planhigion

Cerdded: ar bedair troed

Velociraptor

Byw: China

plu

Hyd: 🚲

Bwyd: anifeiliaid bach

Cerdded: ar ddwy droed

Mynegai